W9-DCU-539

ISABEL KREITZ

DIE ENTDECKUNG DER CURRYWURST

NACH EINEM ROMAN VON UWE TIMM

Mit einer Dokumentation von Frank Giese
und Handlettering von Dirk Rehm

REPRODUKT

VOR GUT ZWÖLF JAHREN HABE ICH DAS LETZTE MAL EINE CURRYWURST AN DER BUDE VON FRAU BRÜCKER GEGESSEN.
Großneumarkt
DIE BUDE STAND HIER AUF DEM GROSSNEUMARKT...

DA IST DAS PISSOIR, WO SICH DIE PENNER TREFFEN UND ALGERISCHEN ROTWEIN TRINKEN...
ZWISCHEN DEN VERSICHERUNGSGEBÄUDEN SIEHT MAN DIE MICHAELISKIRCHE...
IHR TURM WIRFT AM NACHMITTAG EINEN SCHATTEN AUF DEN PLATZ.

DAS GANZE VIERTEL IST IM KRIEG DURCH BOMBEN STARK ZERSTÖRT WORDEN... BIS AUF EIN PAAR WENIGE STRASSEN.

IN DER BRÜDERSTRASSE WOHNTE EINE TANTE VON MIR. ICH MUSSTE SIE HEIMLICH BESUCHEN... MEIN VATER HATTE ES MIR VERBOTEN. „KLEIN-MOSKAU" WURDE DIE GEGEND GENANNT.

SPÄTER, WENN ICH AUF BESUCH NACH HAMBURG KAM, BIN ICH JEDES MAL IN DIESES VIERTEL GEFAHREN, DURCH DIE STRASSEN GEGANGEN, VORBEI AM HAUS MEINER LÄNGST VERSTORBENEN TANTE...

... UM SCHLIESSLICH, UND DAS WAR DER EIGENTLICHE GRUND, AN DER IMBISSBUDE VON FRAU BRÜCKER EINE CURRYWURST ZU ESSEN.

HALLO! EINMAL WIE IMMER?

WARST JA LANGE NICH MEHR DA!

TJA, DER ALTE JENSEN IST ENDLICH WECHGEZOGEN... ZU SEINER TOCHTER NACH STUTTGART!
UND FRAU KROGMANN IST GESTORBEN...

DIE HATTE JA FRÜHER FIX WAS LAUFEN!
HAT IN IHREM KELLER SCHNAPS GEBRANNT, IN 'NER ALTEN WÄSCHESCHLEUDER... UND BEI DEN TOMMIES FÜR ZIGARETTEN EINGETAUSCHT.

BLIND HAT MAN VON DEM FUSEL WERDEN KÖNN!
HIER IM VIERTEL GIBT'S WOHL KAUM WAS, DAS SIE NICHT MITKRIEGEN, WIE?

LIECHT AN DER CURRYWURST. LÖST DIE ZUNGE, SCHÄRFT DEN BLICK!

TJA, NU!
HIER GEHT NIX MEHR. NÄCHSTES JAHR MACH ICH ENDGÜLTIG SCHLUSS!
OOCH...

DA! IS DIE GICHT...
... AUGEN WOLLEN AUCH NICH MEHR!

WIE HÄLTSTE DAS BLOSS IN MÜNCHEN AUS?

DA GIBT'S AUCH IMBISSE!

JAA... ABER GIBT'S DA AUCH CURRYWURST?
NEE, KEINE GUTE!

WEISSWURST... GRAUSAM!
UND DANN NOCH SÜSSER SENF- BRR!

DA, DAS IS REELL!
HAT MIT'M WIND ZU TUN! SCHARFER WIND BRAUCHT SCHARFE SACHEN!
NÄCHSTES JAHR MACH ICH DIE BUDE DICHT, ENDGÜLTIG!
HM!

ICH BIN KAUM NOCH IN DAS VIERTEL GEGANGEN, NACHDEM FRAU BRÜCKERS BUDE NICHT MEHR DA WAR...
ABER ICH DACHTE OFT AN SIE!

MEIST, WENN ES IRGENDWO AN IMBISSBUDEN IN MÜNCHEN, BERLIN ODER DÜSSELDORF ZU DISKUSSIONEN UM DIE ENTSTEHUNG DER CURRYWURST KAM.

ICH ERZÄHLTE DANN IMMER VON FRAU BRÜCKER UND HAMBURG. DIE MEISTEN ABER WAREN ÜBERZEUGT, DASS DIE CURRYWURST ÜBERHAUPT NICHT ODER IN BERLIN ERFUNDEN WORDEN IST.

SO BEGANN ICH NACHZUFORSCHEN.

ZU WEM WOLLEN SIE?
ICH, ÄH... LEBT FRAU BRÜCKER NOCH HIER?

DIE WOHNUNG IST SCHON VERMIETET!

14
NEIN, NEIN, ICH MEINE... ICH BIN HIER AUFGEWACHSEN...
SO?
ICH KENNE SIE VON FRÜHER! SIE SIND BEI DEN STURMPIONIEREN GEWESEN...
DAHINTEN STAND MAL EIN BAUM. DA SIND SIE RAUFGEKLETTERT, UM FRAU GIESES KATZE ZU RETTEN.
SNIRF!
DIE FEUERWEHR MUSSTE DANN SIE UND DIE KATZE RUNTERHOLEN!

TJA, DAS WAR'N NOCH ZEITEN!
WAR GANZ SCHÖN HOCH, DER BAUM. HATTE ICH FALSCH EINGESCHÄTZT!

BIN JETZT DER LETZTE ALTE MIETER IM HAUS.
IM MÄRZ GEH ICH AUCH RAUS. DIE MIETERHÖHUNG IST MIR ZU VIEL! HIER KOMMT DANN 'NE VINOTHEK REIN!

DACHTE ZUERST, DAS WÄR 'N MUSIKGESCHÄFT...

UND FRAU BRÜCKER?

IS SCHON LANGE WEG... DIE IS BESTIMMT SCHON NICH MEHR!
KOMME GLEICH WIEDER

WANN MUSSTE DENN NACH MÜNCHEN ZURÜCK?
IN EINER WOCHE!
SAG MAL... ERINNERST DU DICH AN FRAU BRÜCKER?
BOSCH

DIE BEI TANTE HILDE IN DER BRÜDERSTRASSE? MIT DER BUDE AUF'M GROSSNEUMARKT?

HM, PATENTE PERSON...! HAT DAMALS VIEL MIT EICHELKAFFEE EXPERIMENTIERT. IHRER SCHMECKTE FAST WIE ECHTE BOHNE!
EICHELKAFFEE?

JA!
MAN TROCKNET EICHELN IM BACKOFEN...
...UND BRÜHT SIE MIT ETWAS ERSATZKAFFEE AUF!
...SCHÄLT SIE, ZERKLEINERT DIE FRUCHTKERNE...
BÄH!

DAS ZEUCH GERBTE EINEM DIE ZUNGE. DA HASTE IM HUNGERWINTER SIEBENUNDVIERZICH DIE SÄGESPÄNE IM BROT GAANICH GESCHMECKT!

WIESO WILLSTE DENN DAS ALLES WISSEN? IS DOCH KEIN SCHÖNES GESPRÄCHSTHEMA...

HAB MAL GEHÖRT, DASS FRAU BRÜCKER NACH DEM KRIEG DIE CURRYWURST ERFUNDEN HAT...
JAJA, KANN SCHON SEIN...

WEISST DU, WO SIE JETZT WOHNT?

NEE, NEE, KEIN ALTERSHEIM... „SENIOREN-WOHNANLAGE"! IRGEND-WO IN LOKSTEDT!

TAG, FRAU BRÜCKER!
ICH WEISS NICHT, OB SIE SICH NOCH AN MICH ERINNERN...

ICH WAR OFT AN IHRER BUDE... UND FRÜHER BEI TANTE HILDE IN DER KÜCHE...

'TÜRLICH ERINNER ICH MICH! HAST JA KEIN BART MEHR! UND DAS HAAR NICH MEHR SO LANG...

TJA, DIE GICHT IST WEG... DAFÜR KANN ICH NIX MEHR SEHN!

ICH, ÄH...
STIMMT ES, DASS SIE NACH DEM KRIEG DIE CURRYWURST ERFUNDEN HABEN?
ICH...? NEE, ICH HAB NUR 'NE WÜRSTCHENBUDE GEHABT!

ACH!

JETZT BISTE ENTTÄUSCHT, WAS? HIER GLAUBT MIR DAS JA KEINER, DESHALB SACH ICH NIX...! HAB SIE ABER TATSÄCHLICH ERFUNDEN, DIE CURRYWURST!
UND WIE?

IS 'NE LANGE GESCHICHTE! HASTE ZEIT?

HAB ICH!
GUT. ICH BRÜH UNS 'N KAFFEE AUF...

KANN ICH HELFEN?
ICH MACH DAS SCHON!
KANNST UNS 'N STÜCK TORTE BESORGEN! UM DIE ECKE IS 'N KONDITOR!

WAR 'NE SCHLIMME ZEIT, DAMALS! KENNSTE WOHL AUS'M GESCHICHTSBUCH, WAS HIER BEI KRIEGSENDE LOS WAR!
DIE ENGLÄNDER SASSEN SCHON IN STADE, ABER HAMBURG SOLLTE UM JEDEN PREIS VERTEIDIGT WERDEN. DER „HELDENKLAU" GING DURCH DIE KRANKENHÄUSER. WER NOCH 'NE WAFFE HALTEN KONNTE, MUSSTE RAN...
ZU DER ZEIT KAM DER BREMER AUS KIEL UND SOLLTE IN DER LÜNEBURGER HEIDE BEIM ENDKAMPF HELFEN...

HAMBURG WAR JA SCHON ZIEMLICH IN DUTT. TROTZDEM GAB ES IMMER NEUE LUFT-ANGRIFFE.

HIEV AN!

öffentlichen
Luftschutzraum
HE! WEISS HIER JEMAND, WO'S 'N KINO GIBT ODER SO WAS?
'N KINO? WAS WILLSTE DENN IM KINO?
NU LASS DOCH, HEINZ!

ALSO: WENN DU DA GERADEAUS GEHST, KOMMST DU ZUR REEPERBAHN...
DA IS NOCH 'N KINO, „KNOPF'S LICHTSPIELHAUS"!

MUSSTE NUR NOCH ÜBER DIE PANZERSPERRE KLETTERN!
SCHÖN' DANK AUCH!

ICH SELBER ARBEITETE DAMALS IN DER LEBENSMITTELBEHÖRDE.
HE, LENA! WAS MACHSTE DENN NOCH HEUTE?
32
ICH GEH INS KINO!
NA, VIEL GLÜCK... HEHEHE...

TSIS!

ÄHM... WAS GIBT'S DENN?
„WUNSCHKONZERT"!

LETZTE WOCHE GAB'S „ES WAR EINE RAUSCHENDE BALLNACHT". GANZ OHNE ALARM!

VON WELCHER EINHEIT KOMMST 'N DU?
ADMIRALITÄTS-STAB OSLO... ABTEILUNG SEEKARTEN!

DAVOR AUFM ZERSTÖRER...! IS VERSENKT!

DANN AUFM TORPEDOBOOT UND DANACH EIN VORPOSTENBOOT.
OHA!
DEMNÄCHST

HATTEST JA EIGENTLICH GLÜCK MIT DEINEN POSTEN!
PST!
PST!
RUHE!
SCH-SCH!
PST!
EEEEOEEE
OOEEE
FLIEGERALARM! WAR JA 'N KURZES VERGNÜGEN!
MIST!

EEOOOEEEEEEEOOOOOOEEEEEEOOOOOOOEEEEEEEOOOOO
BEEIL DICH! PAAR MINUTEN, DANN SIND DIE HIER!

IN DEN GROSSBUNKER GEH ICH NICH! DA HAT NEULICH EINER 'N VOLLTREFFER GEKRIEGT. VOR DIE TÜR! GING HOCH WIE 'NE BACKRÖHRE! ALLE VERKOHLT!
WIR SUCHEN 'N LUFTSCHUTZKELLER, LOS!

RATTATTATATARATTATATARATTARA
DA! DIE FLAK SCHIESST SCHON!

HE, HALT! WARTEN SIE!
NA, NU ABER FIX!

... WAR 'N WICHTIGES AMT IN OSLO, SEEKARTENKAMMER... MUSSTE DIE KARTEN NACHTRAGEN, IMMER AUF DEM NEUESTEN STAND HALTEN...

... SONST WÄREN UNSERE JUNGS AM ENDE AUF IHRE SELBST GELEGTEN MINENFELDER GEFAHREN!

JETZT BIN ICH ZUR PANZERJAGDEINHEIT ABKOMMANDIERT! HMP... ERDKAMPF...
ICH BIN DOCH SEEMANN, VERSTEHSTE?

WUMM

DER HAFEN...!

WUMM

DIE BOMBARDIEREN DEN U-BOOT-BUNKER!

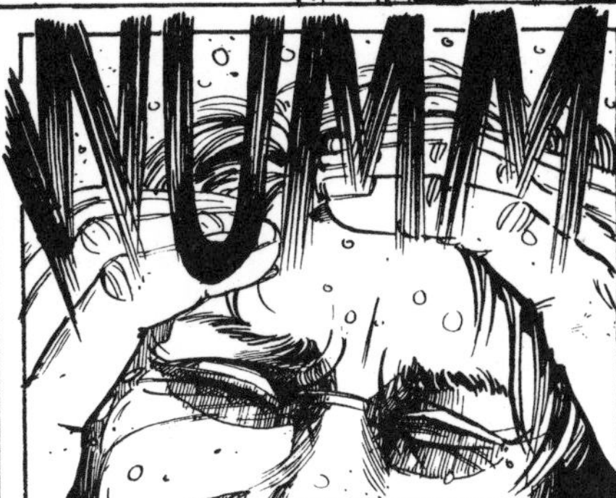
WUMM

HE! GANZ RUHICH! WAR DOCH NUR IN DER NACHBARSCHAFT!

PUUUH, MEIN LIEBER SCHOLLI! AUF SEE SIEHT MAN DIE DINGER WENIGSTENS UND WEISS, WANN'S KRACHT!
GEWÖHNSTE DICH DRAN!

KOMM, ICH HAB 'NE FELDPLANE!

MAX BACH
KOMMSTE MIT ZU MIR?

DAS WAR EIN STURM...! UND DIE WELLEN, RIIIESIGE KAVENTSMÄNNER! TJA, UND DA KAM DIESER BOMBER! UNSER VORPOSTENBOOT WAR'N ALTER FISCHDAMPFER, DER DIESEL WAR SO ALT, DASS NOAH DEN SCHON NICH MEHR IN SEINE ARCHE EINGEBAUT HÄTTE!
SOOO...? NOCH 'N KAFFEE?
ICH HAB EINMAL MIT MEINER ZWOKOMMAZWO-FLAK DRAUFGEHALTEN. DER IS SOFORT ABGESCHMIERT!
VOR TRONDHEIM WAR INSPEKTION! DER ALTE GEHT DIE FRONT AB, BLEIBT VOR MIR STEHEN...
SIEHSTE DAS ABZEICHEN HIER...?
TSIS! IS JA 'N REITERABZEICHEN! 'N SEEMANN MIT 'NEM REITERABZEICHEN?

DER ADMIRAL FAND DAS AUCH KOMISCH... FRAGT MICH: „MENSCH, REITEN SIE ÜBER SEE?", UND DANN: „WAS SIND SIE VON BERUF?"
„MASCHINENBAUER", SAG ICH... BEFAHL MICH IN SEINEN STAB NACH OSLO! IN DIE KARTENKAMMER!

HAT MICH WOHL VOR DEN FISCHEN GERETTET! SEITDEM IST DAS ABZEICHEN SO 'NE ART GLÜCKSBRINGER...

NUR EINMAL, DAS WAR NOCH AUF'M VORPOSTENBOOT, DA IS 'N BEGLEIT-SCHIFF AUF 'NE MINE... DIE MÄNNER, DIE WIR RAUSGEFISCHT HABEN, DIE BRÜLLTEN UND BR...
ÄHÄM...
MAGST DU 'N SCHNAPS?

HAT 'N KOLLEGE AUS DER LEBENSMITTELBEHÖRDE GEBRANNT. AUS BIRNEN!
WIE NAHRHAFT...! SAG MAL, HAST DU 'N RADIO?

JA, ABER DIE RÖHRE IS KAPUTT, UND NEUE GIBT'S NICH!
IS JA SO-WIESO KEIN STROM DA.

UND WENN, DANN QUASSELT DA IMMER DIESER ONKEL BALDRIAN...
WER IS 'N DAS?

STAATSSEKRE-TÄR AHRENS! GIBT IMMER DIE UNANGE-NEHMEN NACHRICH-TEN DURCH.
LUFTANGRIFFE, STROMSPERREN UND SO...
WEIL ER SO 'NE MATTE, SANFTE STIMME HAT, HEISST ER ONKEL BALDRIAN.

VON WO KOMMSTE EIGENT-LICH? HASTE FRAU UND KINDER?
ICH, ÄH...
ICH WOHN BEI MEINEN ELTERN IN BRAUN-SCHWEIG!

UND DU? IST DEIN MANN AN DER FRONT?
KEINE AHNUNG! IS IN TILSIT! HAT 'NE ANDERE FRAU KENNENGELERNT. ABER ER SCHREIBT HIN UND WIEDER...

NA DENN PROST!
KLING
KOPFSCHMERZEN WERDEN WIR BEKOMMEN!
IS HEUTE EGAL, IS MORGEN EGAL, UND DEN ENGLISCHEN PANZERN WIRD'S AUCH EGAL SEIN!

RATARATARA
ATARA
BRRR!

DIE FLAK! DAS IS FLIEGERALARM...! GEHN WIR IN DEN KELLER?
NEIN!

WENN DU WILLST, KANNST DU HIERBLEIBEN!
GUT! ICH MUSS MORGEN UM FÜNF BEI MEINER EINHEIT SEIN!
NEE, NEE,
ICH MEIN, GANZ!

HM, KOMMT BESUCH?
SELTEN, IS 'NE ENDWOHNUNG. NACH OBEN KOMMT KAUM EINER, UND WENN, KANNSTE IN DIE KAMMER GEHEN. ICH SCHLIESS VON AUSSEN AB.

CHRRR-CHRRR

TJA, UND SO WURDE BREMER FAHNEN-FLÜCHTIG!

AAH, DAS ALTENFUTTER KOMMT! TACH, HUGO!
TAG, FRAU BRÜCKER, ICH BRING IHRE MEDIZIN!

MIT HUGOS HILFE HALT ICH MICH HIER!
ICH HAB MEIN HERD. OHNE HERD IS DER MENSCH NIX WERT, SACH ICH IMMER!

ICH WOLLTE HUGO MAL 'NE CURRY-WURST BRATEN, ABER DER ISST NATÜRLICH LIEBER DÖNER!
NEE! WENN SCHON, DANN PIZZA!

HATTEN SIE DEN CURRY VON IHREM AR-BEITSPLATZ, DA IN DER LEBENSMIT-TELBEHÖRDE?
NEE, CURRY GAB'S DOCH NICH! WAR DOCH KRIEG!

HAB IN DER KANTINE GEARBEITET. MEIN CHEF, DER HOLZINGER, WAR EIN ZAUBERER! DER KONNTE KOCHEN! KAM AUS WIEN!

DIE GESTAPO HATTE 'N ROCHUS AUF DEN! ER WAR VORHER BEIM REICHSSENDER KÖNIGSBERG KANTINEN-CHEF. DA HAM SE IHN RAUSGESCHMISSEN...

...DENN MERK-WÜRDIGERWEISE HATTEN DIE RADIOHEINIS IMMER DANN BRECHDURCH-FÄLLE, WENN SIE MILITÄRI-SCHE SIEGE MELDEN SOLLTEN.
pst!
DA HAM SE DEN KOCH VERDÄCHTIGT.

KONNTEN'S IHM ABER NICH NACHWEISEN.
WAS MACHEN WIR HEUTE? GAULEITER GRÜN KOMMT UND HÄLT 'NE REDE!
KUTTELN!
IN LANGENHORN IST EINE LUFTMINE IN EINEN BAUERNHOF GEFALLEN. ALLE KÜHE SIND HIN. WIR KRIEGEN ZWANZIG KILO PANSEN!
SO WIRD HAMBURG VERTEIDIGT...! STRASSE UM STRASSE, HAUS UM HAUS! DER ENGLÄNDER WIRD SICH WUNDERN ÜBER DEN FANATISCHEN WIDERSTAND, DER IHM ENTGEGENSCHLÄGT!
UND DAFÜR IST ES WICHTIG, DASS DIESE BEHÖRDE, ZUSTÄNDIG FÜR DIE VERTEILUNG DER LEBENSMITTEL, MITHILFT, DASS JEDER VOLKSGENOSSE SEINEN GERECHTEN ANTEIL BEKOMMT, ALSO KRAFT... KRAFT FÜR DEN ENDSIEG!
SIEG HEIL!
PST!
GROSSARTIG! ICH SAGE IHNEN, DIESE BEHÖRDE WIRD IHRE PFLICHT BIS ZUM ENDSIEG TREU ERFÜLLEN!
TJA! IN EINER HALBEN STUNDE HALTE ICH NOCH EINE REDE IN DER HABAFA! ALLE MÜSSEN ARBEITEN FÜR DEN SIEG! EINE LETZTE GROSSE ANSTRENGUNG!
NIMM HEUTE AUF KEINEN FALL ETWAS VON DER TERRINE VOM VORSTANDSTISCH! ICH MÖCHTE DEN KOLLEGEN VON DER BATTERIEFABRIK EINE REDE ERSPAREN...
HM!
WIE DAS DUFTET!

AAH! KÜMMEL!
TJA, HALTEN SCHON! ABER NATÜRLICH KÄMPFEN...! PANZERBRECHENDE WAFFEN...! KLAR!
HM! AUS-GE-ZEICH-N-ET!

ALSO... ZUVERSICHT UND MUT... SIND BESTIMMEND FÜR DAS DEUTSCHE DENKEN. WANKELMUT...
...DEFÄTISMUS, KRITISIEREREI...
SCHMATZ
...FÜR DAS JÜDISCHE!
HM
LENINGRAD!

DER RUSSE SCHIEN SCHON NAH AM ENDE... DREI JAHRE EINGESCHLOSSEN, HAT ER SEINE STADT VERTEIDIGT UND AUS DER NIEDERLAGE EINEN SIEG ERKÄMPFT!
HMP!

SO AUCH, HMP, WIE JETZT WIR, HMP...

OH, VERZ... HMP!
...'TSCHULDIG... HMP!

HMP!
HMP!
ÖCHÖ

AH!

NA? DA BIN ICH WIEDER...! WIE WAR DEIN TAG?

EINEN MOMENT HAB ICH RICHTIG SCHISS GEHABT...
DA IS SO'N SS-WAGEN VOR DER TÜR RUMGEKURVT! ICH DACHTE, JETZT HAM SE MICH!

SCHEISS-GEFÜHL. WENN WAS SCHIEFLÄUFT, SITZ ICH HIER WIE 'NE RATTE IM LOCH...

LASS MA! LANG KANN DAS JA NICH MEHR DAUERN... KENNSTE DEN? WAS IST DER UNTERSCHIED ZWISCHEN DER SONNE UND DEM FÜHRER?
JA, JA... DIE SONNE GEHT IM OSTEN AUF, DER FÜHRER GEHT IM OSTEN UNTER...

TOK TOK
SCHNELL...! TELLER WEG, BESTECK WEG!
IN DIE KAMMER, LOS!

MOMEEENT... KOMME GLEICH!
TOK TOK
HEE! FRAU BRÜCKER, AUFMACHEN! SIE SIND DOCH DA...! MACHEN SIE SOFORT AUF!

BIN AUFM KLO-HO!

MUSS DIE WOHNUNG KONTROLLIEREN! SIND DIE EIMER MIT LÖSCHSAND GEFÜLLT?
KANN JA 'NE BRANDBOMBE AUFS HAUS FALLEN ODER 'NE GRANATE!

SNIFF
RAUCHEN SIE WIEDER?
JA, KLEINER RÜCKFALL!

HIER IST DOCH EIN RISS DRIN! DA KOMMT DOCH LICHT DURCH!
SO WAS KÖNNEN DIE ENGLISCHEN TERRORBOMBER ORTEN!

GIBT DOCH KEIN STROM!
WAS SUCHEN SIE EIGENTLICH? IM SCHLAFZIMMER MUSS KEINE FEUERKLATSCHE SEIN...
...UND AUCH NICHT UNTERM BETT!
IM HAUS HAM SICH DIE LEUTE BESCHWERT...
AUS IHRER WOHNUNG KAMEN SCHREIE GESTERN NACHT!

I-ICH SCHLAFE SCHLECHT IM MOMENT!
DA WERD ICH WOHL GESCHRIEN HABEN!
IST DOCH KEIN WUNDER...! DER ENGLÄNDER STEHT VOR DER TÜR...
ACH! MEINEN SIE, DIE STADT VERTEIDIGT SICH NICHT?

ICH WERDE DAFÜR SORGEN, DASS SIE EINQUARTIERUNGEN BEKOMMEN...
ZWEI ZIMMER, UND TAUSENDE VOLKSGENOSSEN AUF DER STRASSE!
HMPF! HIER RIECHT DAS SO... NACH LEDER... NACH KOMMISS...
KENN DAS ALS ALTER SOLDAT!

RAUS!

SOFORT RAUS!
ABER DALLI!

WUMM
PHHH!

PUUUH! DAS WAR LAMMERS, DER BLOCKWART!

KEINE ANGST, IS JA VORBEI...! GUCK MAL, WAS ICH HABE! SONDER-ZULAGE!
OH, REIS!

HAST DU CURRY IM HAUS? FÜR CURRYREIS?
CURRY? NEE, WAS IS DAS DENN?

TJA... DAS IST EIN GEWÜRZ! HAB ICH IN INDIEN GEGESSEN... MEINE ERSTE SEEREISE!

ICH WAR NOCH MASCHINEN-ASSI. MIR GING'S SAUDRECKIG! DA HAT MICH EINER MIT AN LAND GENOMMEN, ZUM ESSEN...

DAS WAR WIE 'N GESCHMACK AUS EINER ANDEREN WELT... HAT EINEN RICHTIG GLÜCKLICH GEMACHT! HAB SO VIEL MORD UND TOTSCHLAG ERLEBT AUF SEE...
FÜR 'N MOMENT HAB ICH DEN GANZEN SCHEISS TOTAL VERGESSEN...

HM!

TACH, HOLZINGER!
NA?! HAST DU'S SCHON GEHÖRT?
WAS GEHÖRT?
DER FÜHRER IST TOT!
...GRAD HEUT GIBT'S ERBSENSUPPE! ADOLFS LIEBLINGSESSEN!
HE, LENA! RADIODURCHSAGE VON GAULEITER KAUFMANN...
HAMBURG KAPITULIERT! DIE TOMMIES KOMMEN!
... SCHICKT SICH AN, HAMBURG AUF DER ERDE UND AUS DER LUFT MIT SEINER UNGEHEUREN ÜBERMACHT ANZUGREIFEN. DAS SCHICKSAL DES KRIEGES KANN NICHT MEHR GEWENDET WERDEN. DER KAMPF IN DER STADT WÜRDE IHRE SINNLOSE, RESTLOSE VERNICHTUNG BEDEUTEN...

...BISSCHEN SPÄT, DIE EINSICHT!
... HAMBURGER... ZEIGT EUCH ALS WÜRDIGE DEUTSCHE KRRRS SCHSCHSCH KEINE WEISSEN FAHNEN HISSEN...
NA DENN TSCHÜS!

HAMBURG WIRD KAMPFLOS ÜBERGEBEN! DER KRIEG IST AUS!

TJA, SO GING FÜR MICH DAS TAUSENDJÄHRIGE REICH ZU ENDE...
ALS ICH AM KARL-MUCK-PLATZ ANKAM, HAB ICH ÜBER BREMER NACHGEDACHT...

DER KONNTE JA NICHT SOFORT ABHAUN, KEIN ZUGVERKEHR, UND ES GAB 'NE AUSGANGSSPERRE, ABER...
NA JA, ICH WAR FAST FÜNFZEHN JAHRE ÄLTER ALS ER. WARUM SOLLTE ER BEI MIR BLEIBEN? VIELLEICHT NOCH EIN PAAR TAGE, AUS DANKBARKEIT...

...NOCH EIN PAAR TAGE ALS DESERTEUR, DIE WÜRDEN IHM NICHT SCHADEN. EIN GEBURTSTAGSGESCHENK FÜR MICH!
ADOLF HITLER IST TOT! GENERAL WOLZ HAT DIE STADT KAMPFLOS ÜBERGEBEN!
...EHRLOS!

SIE KÖNNEN JA WEITERKÄMPFEN... ALS WERWOLF!
WIR BRAUCHEN JA JETZT KEINEN BLOCKWART MEHR!
...KEINE EHRE MEHR IM LEIB! DAS IST VERRAT...! ABER NICHT MIT MIR!
...IMMER IN TREUE, JAWOLL!

HALLI-HALLO!
AH, DU BIST'S! PUUUH...
BIST JA FRÜH DRAN! ICH DACHTE SCHON, DER BLOCKWART...
HAST DU ENDLICH 'NE ZEITUNG ODER 'N RADIO GEKRIEGT?
ES IST SO RUHIG! MAN HÖRT GAR KEIN SCHIESSEN MEHR... VERHANDELN WIR SCHON MIT DEM ENGLÄNDER?
...GEHT ES ENDLICH GEGEN RUSSLAND?
ÄÄÄH... JA, JA...
ENDLICH IST CHURCHILL AUFGEWACHT... HIER WERDEN SIE ANSETZEN...
...BERLIN ZURÜCKEROBERN, DANN BRESLAU UND KÖNIGSBERG!
SONNENKLAR!
DESHALB IST ES SO RUHIG!

HAB GEDULD!

...JA, LIEBE MITARBEITER, DER KARREN IST ZIEMLICH IN DEN DRECK GE-FAHREN!
...UMSO MEHR MÜSSEN WIR UNS GEMEINSAM BEMÜHEN, IHN WIEDER FLOTTZUMACHEN.
DIESER KOTZBROCKEN!

WIR MÜSSEN JETZT ARBEITEN! ARBEITEN UND NOCHMALS ARBEITEN BIS...

ZUM ENDSIEG!

...ENDSIEG! ÄH, ÖH... NEUANFANG, NATÜRLICH! UND WIEDERAUFBAU!

ÄHEM...
...DER JEEP, DAS CORNED BEEF UND DER DEUTSCHE LANDSER - EINFACH UN-SCHLAGBAR! AUF GUTE ZUSAMMENARBEIT, HERR MAJOR!

HIER, NEHMEN SIE EINE!
OH...! DANKE!
FEUER?

DANKE, NEIN, ÄH... ICH RAUCH SIE LIE-BER ERST NACH DER ARBEIT.

FFFT...! MEINE GÜTE! WER SOLCHE ZIGARETTEN MACHT, GEWINNT AUCH KRIEGE!

ES GEHT ALSO VORAN!
CHURCHILL RÜCKT WEITER NACH OSTEN VOR!
HM!

...UND MONTGOMERY BLEIBT AN DER ELBE! ALSO WISMAR, MAGDE-BURG, TORGAU...

DIE WENDE...! ENDLICH!

DAS IST DOCH NICHT ZU FASSEN!

DA! SCHWARZ-MARKT, GENAU UNTERM FENSTER! KEINE DISZIPLIN MEHR...! STIMMT DOCH WAS NICH!
WAS IST DENN?

ACH, LASS! DAS GAB'S DOCH IMMER!
ABER NICHT SO!
NICHT SO DREIST UNTER FREIEM HIMMEL!
ICH WILL ENDLICH WISSEN, WAS LOS IST...
ICH BRAUCHE EIN RADIO, EINE ZEITUNG, IRGEND-ETWAS!
...LEIH DIR DOCH EIN RADIO, BLOSS FÜR EINEN TAG!
DAS GEHT NICHT!

DU WILLST NICHT!
ICH KANN NICHT!
DOCH!
DU WILLST NUR NICHT!

ICH SITZE HIER, PUTZE, GLOTZE AUF DIE STRASSE, LAUFE AUF SOCKEN RUM... VERDAMMT! ES GEHT UM MEIN LEBEN!
JA, IS GUT.

HÄ?!
ES IST NICHT SO SCHLIMM, WIE DU DENKST...

SCHEISSE!

DU LÄUFST HIER RUM...
... AUF MICH WARTEN DRAUSSEN DIE KETTENHUNDE...! DIE STELLEN MICH AN DIE WAND!

HE, GANZ RUHIG!

HNGH...

ALLES KLAR?

NA...? DEIN LIEBLINGSESSEN! SPIEGELEIER MIT KARTOFFELBREI!
DREI EIER! MANN IN DER TONNE!
HM...! DU WIRST SEHEN: BALD GIBT'S 'NE GENERALAMNESTIE!
DIE MARINE HAT IMMER NUR IHRE PFLICHT GETAN...! WAR NIE AN SCHWEINEREIEN BETEILIGT, ERSCHIESSUNGEN UND SO! WIR SIND VIEL BESSER DRAN ALS DIE SS...

NA, SCHMECKT'S...? IS SOGAR MUSKATNUSS DRIN! HAB ICH GETAUSCHT, FÜNFHUNDERT PAPIERSERVIETTEN!
HM!
JUNO

...KOMISCH!
WAS?
NICHTS! ICH SCHMECKE NICHTS!

GAR NICHTS?
NEIN! SCHON SEIT ZWEI ODER DREI TAGEN – GAR NICHTS!

SAG MAL... WAS KANN MAN TUN, WENN JEMAND NICHTS MEHR SCHMECKT?
WER ISSES DENN? DER DR. FRÖHLICH? DAS WÄR DIE HÖCHSTE KOCHKUNST, DIESEM KOTZBROCKEN DEN GESCHMACK AMPUTIEREN ZU KÖNNEN!

...NEE, IS'N BEKANNTER VON MIR!
TJA... INNERE SCHIEFLAGE, SCHWERMÜTIGKEIT...! FÜHRT ZU EINER ART VERSTOPFUNG DER GESCHMACKSKNOSPEN!

UND WAS KANN MAN DAGEGEN TUN?
BASILIKUM WÄR GUT, NOCH BESSER: INGWER!
...HABEN WIR NATÜRLICH NICHT... KORIANDER...? ERST RECHT NICHT!

AH! DIE CURRYWURST...! NICHT?

NA, WENN DU ES WEISST, DANN ERZÄHL DOCH SELBER WEITER!
ÄÄH...

SIE HABEN CAPTAIN FRIEDLANDER NACH DEM CURRY GEFRAGT...
DIE ENGLÄNDER LIEBEN DOCH CURRY!

NEE, FRIEDLANDER HAT BIS 33 IN HAMBURG GELEBT UND IST DANN ALS EMIGRANT NACH ENGLAND GEKOMMEN...

DER MOCHTE AM LIEBSTEN KÖNIGSBERGER KLOPSE!
NEE, NEE, SO EINFACH ISSES NUR IN ROMANEN, DA MUSSTE NOCH 'N BISSCHEN GEDULD HABEN.

...DEM BREMER FIEL EINFACH DIE DECKE AUF DEN KOPF! NEUN STUNDEN ALLEIN IN DER WOHNUNG...
...AUF SOCKEN, IMMER ÄNGSTLICH...
ICH HABE MIR SO OFT VORGENOMMEN, IHM DIE WAHRHEIT ZU SAGEN...! EINFACH HEIMKOMMEN UND SAGEN: DU KANNST GEHEN, DER KRIEG IST AUS!
...ICH HABE IHN FÜR DICH – UND VOR ALLEM AUCH FÜR MICH – ETWAS VERLÄNGERT...

...DAS TAUSENDJÄHRIGE REICH, DAS VOR ACHT TAGEN UNTERGEGANGEN WAR, EXISTIERTE FÜR IHN JA NOCH!

... ABER DANN SAH ICH DIESE FOTOS...

HE! IS DIR SCHLECHT?

... IN DER STADT ERZÄHLEN SIE, DASS ES LAGER GEGEBEN HAT, IN DENEN SYSTEMATISCH MENSCHEN UMGEBRACHT WURDEN – ZEHNTAUSEND, HUNDERTTAUSEND, MILLIONEN...
GERÜCHTE!

... MENSCHEN! JUDEN SOLLEN SIE VERGAST UND VERBRANNT HABEN! FABRIKEN DES TODES...
MÄRCHEN! ALLES QUATSCH! FEINDPROPAGANDA...! UND WER HAT EIN INTERESSE DRAN, SOLCHE GERÜCHTE IN DIE WELT ZU SETZEN?

DER RUSSE!

...IST BRESLAU SCHON BESETZT?

NEIN!
DIE STADT IST IM ARSCH, SCHON LANGE! GAULEITER HANKE IST ABGEHAUEN!

EIN GROSSES SCHWEIN...! ALLES SCHWEINE, JEDER IN UNIFORM IST EIN SCHWEIN!
DU UND DEIN DÄMLICHES KRIEGSSPIEL!

DER KRIEG IST AUS, VORBEI, FUTSCHIKATO! WIR HABEN IHN VERLOREN, TOTAL! GOTT SEI DANK!

ÄH...?

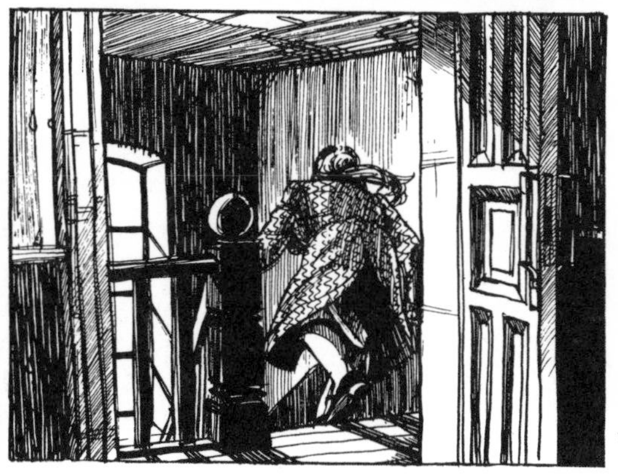

HE, LENA! DU SOLLST MAL ZUM DR. FRÖHLICH KOMMEN!
TJA, LIEBE FRAU BRÜCKER... SIE SIND JA NUN ÜBERFLÜS-SIG, NICH?
'S SIND GENUG ANDERE HÄNDE DA, DEN KAR-REN AUS DEM DRECK ZU ZIEHEN...
SCHEISSE! DAS SCHWEIN HAT'S GESCHAFFT UND IST SCHON WIEDER PERSONAL-LEITER!
TJA, ICH GEH DANN MAL...
WARTE MAL, MIR FÄLLT DA WAS EIN...
AUFM GROSSNEU-MARKT, DA STEHT 'NE KARTOFFELPUFFER-BUDE. DER BESITZER HATTE 'NEN SCHLAG-ANFALL...
DER SUCHT 'NEN NACHFOLGER! WÄR DAS NIX?
HM!
KARTOFFEL-PUFFER? ICH WEISS NICH... BRAT-WÜRSTCHEN, DAS WÄR WAS!
BRAT-WÜRSTCHEN...? HM, MAL ÜBER-LEGEN...
MAN KÖNNTE WEISSKOHL-BRATWÜRSTCHEN MACHEN...
BÄH!
HE, HOLZINGER, IN ELMSHORN GIBT'S 'NE WURSTFABRIK! DIE BESITZERIN SOLL ALKOHOLSÜCHTIG SEIN... WER WEISS, EIN PAAR FLASCHEN SCHNAPS...

AEG

ICH BRAUCHE DREIHUNDERT KALBSBRATWÜRSTCHEN PRO WOCHE!
TSS...! WIE STELLN SE SICH DAS VOR?
HAM SE DENN 'NE BEZUCHSBERECHTIGUNG?

ICH BIETE EINE FLASCHE WHISKY FÜR DREIHUNDERT STÜCK...
ÄH... DEUTSCHER EIGENBRAND?

...ECHTER SCHOTTISCHER WHISKY!

TACH, HELGA! DU, SACH MAL, ICH HAB GEHÖRT, DEIN NEUER ENGLISCHER FREUND SAMMELT ORDEN UND ABZEICHEN...
STIMMT...! ALL SO'N BLECHZEUGS...! TOMMIES! DIE HABEN ALLE 'NEN SPLEEN ...

DU, FRAG IHN DOCH MAL, OB ER SCHARF AUF 'N SILBERNES REITERABZEICHEN IST...

ICH WILL SCHOTTISCHEN WHISKY!
SHE WANTS SCOTCH WHISKY FOR IT!
HA, HA, HA!
TELL HER SHE'S CRAZY!

I CAN GIVE YOU LUMBER, ABOUT TWENTY-FOUR CUBIC METRES...
ER WILL DIR VIERUNDZWANZIG FESTMETER HOLZ DAFÜR GEBEN! DU, DAS IST 'NE GANZE MENGE!

ICH BRAUCH PFLANZENÖL UND WHISKY, ICH HAB VIERUNDZWANZIG FESTMETER HOLZ.
HM... KANN ICH NICH MIT DIEN... ABER ICH KENN DA 'NEN GROSSSCHIEBER... 'N ENGLISCHER INTENDANTURRAT... DER VERWALTET DAS GESAMTE PROVIANTLAGER IN SOLTAU.

'S PROBLEM IS NUR: DER WILL BESTIMMT KEIN HOLZ! ER HAT 'NE FRAU – ZUCKER, SAG ICH DIR...
ER BRAUCHT KOSTBARE DINGE, UM AN DIE RANZUKOMMEN... TEPPICHE, SILBER, SCHMUCK...

DA DRÜBEN VERSUCHT SO'N RUSSISCHER STABS-OFFIZIER, DREIHUNDERT FEHFELLE ZU VERSCHEUERN...! DAS WÄR WAS!
RODERS

...HOLZ, BRETTER? DA! NITS, NITS! CHLOROFORM FÜR KRANKENHAUS...

HE! NUR NICH AUFGEBEN!
ES GIBT NOCH EINE CHANCE!
PASS AUF: DEM CHEFARZT DER FRAUENKLINIK HAT 'NE LUFTMINE DAS DACH SEINER VILLA ABRASIERT. ER BRAUCHT DRINGEND HOLZ...
CHLOROFORM WOLLEN SIE...? SO, SO! NA GUT...
WOLLEN SEHEN, WAS SICH MACHEN LÄSST...

ACH, DARLING, THEY'RE JUST WONDERFUL...
HE, HE... HOW MUCH DO YOU WANT?
ER FRAGT, WAS DU FÜR DIE FELLE HABEN WILLST!
ZWANZIG LITER PFLANZENÖL, DREISSIG FLASCHEN KETCHUP, ZWANZIG FLASCHEN WHISKY UND ZEHN STANGEN AMIS...

ER SAGT, FÜR SO VIEL ZEUGS WILL ER ABER AUCH EINEN FERTIGEN MANTEL GENÄHT HABEN...

ÄH...
OKAY!

DANN LERNTE ICH DEINEN VATER KENNEN!
RICHTIG! ER HATTE 'NE PELZNÄHMASCHINE GEFUNDEN...
ABER HATTEN SIE KEINE ANGST, EINEN LAIEN DIE FELLE NÄHEN ZU LASSEN?
'TÜRLICH!
STECKTE JA MEIN GANZES KAPITAL DRIN!
...ICH ERINNERE MICH NOCH...

...ER AN DER MASCHINE, SCHIMPFEND, MIT EINEM KÜRSCHNERLEHRBUCH...
NACHTS BEWACHTE ER DEN MANTEL...
...UND ICH DURFTE MIT MEINER MUTTER IN EINEM BETT SCHLAFEN.

ALS ER ENDLICH FERTIG WAR, KAMEN DER INTENDANTURRAT UND SEINE SCHÖNE FRAU ZUR ANPROBE...
OH...
PERFECT! THERE'S JUST ONE LITTLE PROBLEM...

KEIN ÖL? ABER...
ER BIETET DIR STATTDESSEN FÜNF SEITEN SPECK ODER EIN KILO CURRYPULVER...

CURRY?
HM!
DU, DEN SPECK KANNSTE DIR AUFM' SCHWARZMARKT VERGOLDEN LASSEN...
ICH NEHM DEN CURRY!
ÄH...?

HEY, CAREFUL, MISS! THE BOX!

RRIPP
CURRY
GRADE A

HEY, MISS, CHEER UP! STILL GOT THE OTHER BOX!
HAVE A CIGARETTE!

ÖCHÖ
ÖCHÖ
WELL, MISS...GOTTA GO...! TAKE CARE!

HEINZ
TOMATO
CATSUP

JUNO

HAHAHAHAHAHAHAHAHAHA

HAHAHAHAHAHAHAHAHAHA

MANNO-MANN!
JA! DET MACHT MUSIKE! DET ISSET, WAT DA MENSCH BRAUCHT! DET IS EEN-FACH SCHARF!
AHA

WARSCHAU!

HALLO!
...EINMAL SO 'NE KLEIN GEHACKTE WURST, BITTE!

ÄH... UND 'NE TASSE KAFFEE!
H-HALLO!

ÄH... ECHTE BOHNE?

EGAL!

ALSO WAS DENN NU?
ECHTE BOHNE SIND ZWEI AMIS...
...ODER DREISSIG MARK!

ECHTE BOHNE!
'NE CURRY-WURST DAZU SIND FÜNF AMIS!

DAS SIND PREISE!

ICH HÄTTE GERN 'NEN KAFFEE UND 'NE WURST.
HALLO, LISA, WIE GEHT'S?

SNIFF
NA JA, BEI DEM WETTER...!

KANN ICH'S HEUTE ANSCHREIBEN...? NÄCHSTE WOCHE KOMMT MEIN STAMMKUNDE, DANN BIN ICH WIEDER FLÜSSIG!
NA KLAR, KEIN PROBLEM!

MANN INNE TÜNN!

EINEN ERSATZKAFFEE!
HAHAHAHAHAHAHAHAHAHA
KOMMT SOFORT!

HE, LISA-ISSES NOCH DER AMI...? DER MIT DEM VIELEN LAMETTA?
NEE, DER IS ZURÜCK NACH HAUS ...

DIESER IS AUS BERLIN! ...'N GANZ GROSSES TIER!
NA, DANN PASS AUF DEN MAN BESSER AUF!

KEINE SORGE!

TJA, DIE LISA HAT DIE CURRYWURST MIT NACH BERLIN GENOMMEN...
... PLÖTZLICH HABEN ÜBERALL IMBISSBUDEN CURRYWURST GEMACHT!

NA? WIE ISSES GEWORDEN?
SCHÖN!

ÄHEM...
... IS SCHON DUNKEL! ICH GLAUBE, ES IST GENUG FÜR HEUTE, ODER?
JA, JA! GLEICH KOMMT HUGO MIT DEM ABENDBROT...! IS WOHL BESSER, WENN DU JETZT GEHST!
WENN DU DAS NÄCHSTE MAL KOMMST, ERZÄHL ICH DIR VON GARY, MEINEM MANN! ER IST DOCH NOCH ZURÜCKGEKOMMEN, WEISST DU...

ER WAR DER EIGENTLICHE ERFINDER VOM BALL PARADOX...
FRAUEN FORDERN MÄNNER ZUM TANZEN AUF, MIT TISCHTELEFONEN, UND DIE MÄNNER DÜRFEN KEINEN KORB GEBEN!
DIE IDEE IST IHM NACHHER VON FRAU KEESE GEKLAUT WORDEN!
...CAFÉ KEESE, AUF DER REEPERBAHN...

...EIGENTLICH WOLLTE ICH SIE NOCH FRAGEN, OB SIE BREMER NOCH MAL WIEDER GETROFFEN HAT...
...ABER ES WAR SCHON SPÄT, UND ICH DACHTE MIR, DAS HAT ZEIT... ICH WERDE SIE SPÄTER EINMAL FRAGEN!

ABER ES WAR DANN DOCH KEINE ZEIT MEHR! AM NÄCHSTEN TAG FUHR ICH NACH MÜNCHEN ZURÜCK...

WENIGE TAGE SPÄTER REISTE ICH FÜR EINIGE MONATE NACH NEW YORK...
USA TODAY

ALS ICH NACH GUT EINEM HALBEN JAHR WIEDER NACH HAMBURG KAM, RIEF ICH IM ALTERSHEIM AN...
...FRAU BRÜCKER WAR ZWEI MONATE ZUVOR GESTORBEN...
AUS ALTER GEWOHNHEIT GING ICH ÜBER DEN GROSSNEUMARKT...
DA STAND EIN NAGELNEUER IMBISSWAGEN...

TACH! BITTE EINE CURRYWURST!
KOMMT SOFORT!
WAS IST DAS FÜR EIN GERÄUSCH?
EIN WURSTZERKLEINERER, HAB ICH GERADE ANGESCHAFFT... IN BERLIN GIBT'S DEN SCHON LANGE...
... ABER IN HAMBURG IST MAN JA IMMER HINTERHER!
KOMMEN SIE NICHT VON HIER?
NEE, ICH WAR VORHER IN MÜNSTER- WILL AUCH WIEDER ZURÜCK! ... KEINE GUTE GEGEND HIER! ZU VIEL SCHICKIMICKI!
VON DENEN ISST KEINER CURRYWURST!

... UND DABEI IST SIE DOCH HIER ERFUNDEN WORDEN!
WAS?

DIE CURRYWURST! HIER AUF DIESEM PLATZ...! ICH KANNTE SOGAR DIE ERFINDERIN, ABER DAS IST EINE LANGE GESCHICHTE...
SO?

VIELLEICHT ERZÄHL ICH SIE IHNEN...
... WENN ICH MAL WIEDER HIER BIN...
XENIA

TURM ZWISCHEN TRÜMMERN: DIE MICHAELISKIRCHE IN HAMBURG NACH DEM ZWEITEN WELTKRIEG

HELDENKLAU & AMI-WÄHRUNG

Das Kriegsende und der Neubeginn in Hamburg 1945: Wie das »Tausendjährige Reich« an der Elbe zu Ende geht, wie die Deutschen das »Organisieren« lernen müssen – und wo Lena Brücker die Currywurst erfunden hat von Frank Giese

DIE STUNDE NULL IN HAMBURG

Am 3. Mai 1945 gegen 17 Uhr ist der Krieg für die Hamburger ausgestanden, oder wie sich Lena Brücker ausdrückt: »Vorbei, futschikato! Wir haben ihn verloren, total!« An diesem Freitagnachmittag rollen britische Panzer über die Elbbrücken, an denen die Sprengladungen von der Wehrmacht wieder abmontiert worden sind, in die menschenleere City. Seit 13 Uhr herrscht Ausgangssperre. Zur gleichen Zeit vermeldet Staatssekretär Ahrens – von den Hamburgern wegen seiner ruhigen Stimme, mit der er jahrelang im Radio die Fliegerwarnungen durchgegeben hat, »Onkel Baldrian« genannt – im Reichssender Hamburg die Einstellung des Sendebetriebs. Abends gegen halb sieben übergibt Generalmajor Wolz, der »Kampfkommandant« von Hamburg, vor dem Rathausportal die Stadt an den britischen General Spurling – kampflos. Das erste Friedenswochenende seit fünfeinhalb Jahren bricht an. Dass Hamburg nicht das Schicksal Berlins, Breslaus oder vieler westdeutscher Städte teilt, von den Alliierten in verlustreichen Häuserkämpfen erobert zu werden, verdankt es nicht nur der hoffnungslosen militärischen Situation, sondern auch seiner geografischen Lage: Bremen und Lübeck haben die Engländer bereits eingenommen, so dass der Krieg die Eroberung der Stadt unter allen Umständen nicht mehr erfordert. Außerdem hat sich bei den Hamburger Wehrmachts- und NS-Parteiführern endlich die Erkenntnis durchgesetzt, dass jede Verteidigungsanstrengung völlig aussichtslos wäre und nur sinnlos weitere Menschenleben kosten würde.

WARTEN AUF DAS ENDE: DAS LEBEN IN DEN LETZTEN KRIEGSMONATEN

Späte, zu späte Einsicht. Seit 1940 hat die Hansestadt 213 Bombenangriffe erlebt. Allein den Feuersturm-Nächten des Juli 1943 sind 40.000 Hamburger zum Opfer gefallen. Die Versorgungslage ist katastrophal, das Leben längst ins Absurde abgeglitten: Noch immer rollen Straßenbahnen durch die Ruinenlandschaft, hasten Menschen mit der Aktentasche unterm Arm zur Arbeit, zeigen halb zerstörte Kinos trotz Luftkriegsgefahr UFA-Schmonzetten und Durchhaltefilme, sind Gaststätten geöffnet, die auf Lebensmittelmarken bedienen – wenn sie denn etwas anzubieten haben. Zugleich aber buddeln Hitlerjungen, Frauen und alte Männer südlich der Stadt auf Feldern und Äckern primitive Gräben, die den britischen Panzern zur Falle werden sollen. Schon seit Oktober 1944 – in diesem Monat haben die Alliierten im Westen bei Aachen und im Osten mit Ostpreußen erstmals das Reichsgebiet betreten – laufen in Hamburg die Vorbereitungen für das Undenkbare: der Kampf um die Stadt mit Panzern und Infanterie.

EIN WÜSTES FELD: DIE HAMBURGER NEUSTADT 1945. RECHTS VOM SCHATTEN DER MICHAELISKIRCHE IST DER GROSSNEUMARKT ZU SEHEN – NUR NOCH EINE VON VIELEN FREIFLÄCHEN DES VIERTELS

DER GAULEITER UND DER VOLKSSTURM

Im Oktober 1944 lässt Hitler den »Volkssturm« aufstellen – das letzte militärische Aufgebot des Regimes, für das sich laut Führererlass »alle waffenfähigen Männer zwischen 16 und 60 Jahren« zu stellen haben, also vor allem Hitlerjungen und alte Männer. Für die Aushebung dieses Kanonenfutters sind nicht die Wehrmacht, sondern die Gauleiter verantwortlich. Der Hamburger Gauleiter heißt Karl Kaufmann, ist gebürtiger Rheinländer, als »alter Kämpfer« seit 1921 NSDAP-Mitglied und schon 1929 von Hitler als Chef-Nazi in die Hansestadt beordert worden. Kaufmann ist aber nicht nur Partei-, sondern faktisch auch Regierungs- und Verwaltungschef der Stadt und im letzten Kriegsjahr als »Reichsverteidigungskommissar« in Hamburg verantwortlich für jede zivile Maßnahme, die der Fortführung des Krieges und der Unterstützung der kämpfenden Truppe dient.

IST ER FROH, DASS ES VORBEI IST? GENERALMAJOR WOLZ ÜBERGIBT DEM BRITISCHEN GENERAL SPURLING DIE STADT – UND EINER DER DEUTSCHEN OFFIZIERE FREUT SICH WIE EIN KLEINER JUNGE

ALTE MÄNNER UND EIN UNBEIRRBARER: DER HAMBURGER GAULEITER KARL KAUFMANN (R.) LÄSST IM WINTER 1944/45 DEN »VOLKSSTURM« MOBILISIEREN, DAS LETZTE BEWAFFNETE AUFGEBOT DES NS-REGIMES

Parallel zur Aufstellung des Volkssturms will Kaufmann Hamburg zur »Festung« ausbauen lassen – ein militärisch sinnloses Unterfangen, das die Wehrmacht genau deshalb gar nicht erst in Betracht zieht. So hat etwa die Kriegsmarinedienststelle Hamburg Anfang 1945 nur noch eine Aufgabe, die nicht einmal mehr militärisch zu nennen ist: Schiffe für den Flüchtlingstransport aus dem Osten zu organisieren. Andererseits werden auf den Helligen von Blohm & Voss, in Sichtweite der Michaeliskirche, weiterhin U-Boote montiert, die vom Regime als »Wunderwaffen« angekündigt werden und die Wende bringen sollen – Grund genug für die Alliierten, bis in den April 1945 Bombenangriffe auf die Stadt zu fliegen. Und noch am 21. April ziehen Wehrmachtsoffiziere durch die Lazarette, um jeden halbwegs kampffähigen Soldaten an die Front zu schaffen. »Heldenklau« heißen diese gefürchteten Kommandos im Volksmund.

So beherrscht die Menschen in diesen letzten Kriegswochen eine eigenartige Mischung aus Lethargie und Durchhaltewahn, aus Zermürbung durch die Bombenangriffe und der Furcht vor einem selbstmörderischen letzten Aufbäumen des Regimes. Denn weder NS- noch Wehrmachtsführung wollen den Kampf verloren geben. Schon Anfang 1945 waren die Lebensmittelrationen noch einmal gekürzt worden – wer nicht einem kriegswichtigen Betrieb angehört und dort mehr schlecht als recht verpflegt wird, muss nun fürchten, zu verhungern. Im März werden die Jungen des Jahrgangs 1929 zur Wehrmacht eingezogen, und Gauleiter Kaufmann lässt Stahlträger als Panzersperren in die Ausfallstraßen rammen, aber auch in die Reeperbahn auf St. Pauli, mitten in der Stadt – er rechnet also mit einem zermürbenden Straßenkampf!

HILFLOSE AKTION: IM SÜDEN HAMBURGS BUDDELN HITLERJUNGEN PANZERGRÄBEN UND SCHÜTZENLÖCHER

HITLER UND DIE HAMBURGER

Noch Jahrzehnte nach dem Krieg hielt sich an Alster und Elbe ein Mythos, den man nur zu gern glauben wollte: Hitler mochte Hamburg nicht. Zu freigeistig, zu weltoffen sei die Hansestadt dem Österreicher und München-Verehrer Hitler stets erschienen, ihre Kaufmanns-Elite wegen der freundschaftlichen Neigung zu allem Angelsächsischen von den Nazis stets misstrauisch beäugt worden. Und deshalb habe sich Hamburg zwischen 1933 und 1945 auch nicht wirklich die Finger schmutzig gemacht...

Alles Legende. Hitler liebte Hamburg, das als eine der fünf »Führerstädte« des Reichs mit Monumentalbauten zum Aushängeschild Nazi-Deutschlands ausgebaut werden sollte. Von Blankenese elbaufwärts waren am Nordufer kilometerlange Prachtbauten und Festhallen, eine gigantische Brücke über den Strom und das einzige Hochhaus Deutschlands geplant – alles, um ausländische Schiffspassagiere, die im Hamburger Hafen zum ersten Mal deutschen Boden betreten würden, zu beeindrucken, ja einzuschüchtern. Und Hamburg liebte Hitler, den das NS-Stadtregime um Gauleiter Kaufmann schon wenige Monate nach seiner Machtübernahme 1933 zum Ehrenbürger ernannte.

MONSTRÖSES TOR ZUR WELT: AUF HITLERS BEFEHL PLANEN HAMBURGS ARCHITEKTEN DEN AUSBAU DER HANSE- ZUR »FÜHRER-STADT«. DAS GAUHOCHHAUS IN ALTONA SOLL DER EINZIGE WOLKENKRATZER DEUTSCHLANDS WERDEN

Dutzende Male kam der Diktator in den fol-gen-den zehn Jahren zu Schiffstaufen, Umzügen und anderen offiziellen Anlässen in die Hansestadt. Nach dem Feuersturm 1943 erschien Hitler allerdings nie mehr an der Elbe.

DAS SCHLUSSKAPITEL

In all dem Chaos irren in Norddeutschland außerdem Tausende deutscher Soldaten umher, die von irgendeiner aufgelösten Einheit zu einer anderen kommandiert werden, die vielleicht nur noch auf dem Papier besteht. Viele nutzen diese Verwirrung, um zu desertieren – der Bootsmann Bremer ist einer von ihnen. Als Fahnenflüchtiger wäre ihm die sofortige Erschießung sicher gewesen, denn Feldgendarmen und Greiftrupps der SS machen noch in den allerletzten Kriegstagen Jagd auf Deserteure, als hinge der »Endsieg« davon ab. Doch was hätte den Seemann ohne Schiff erwartet, wenn er wirklich mit umgeschnallter Panzerfaust den Briten entgegengefahren wäre, statt bei Lena Brücker im warmen Bett zu bleiben? Vermutlich der sinnlose Heldentod: Hamburgs Kampfkommandant Wolz schickt noch eine Woche vor der Kapitulation eine Kompanie in einen Nachtangriff gegen die englischen Panzer, die seit Tagen abwartend an der Süderelbe stehen – die desaströse Aktion kostet fünfzig Deutsche das Leben. Und noch am 2. Mai versuchen einige Marineoffiziersanwärter, die man mit Gewehren nach Bergedorf im Südosten Hamburgs geschickt hat, die Briten aufzuhalten, bis sie vom Selbstmord Hitlers erfahren und aufgeben.

In der Hamburger Innenstadt hängt zur selben Zeit in einem Schaukasten am Gänsemarkt

STAHLTRÄGER UND STEINE GEGEN ENGLISCHE TANKS: BARRIKADEN WIE DIESE AUF DER REEPERBAHN IN ST. PAULI SOLLEN DIE BRITEN AUFHALTEN

der Kapitulationsaufruf des Gauleiters aus. Am nächsten Tag überfliegen zunächst englische Aufklärungsflugzeuge die Stadt, um die Lage zu peilen. Um fünf Uhr nachmittags an diesem 3. Mai rollen die britischen Panzer aufs Rathaus zu, deutsche Schutzmänner weisen ihnen an den Straßenkreuzungen den Weg. Von den fünf gewaltigen Hauptkirchen, die Hamburgs Silhouette bestimmen, präsentieren sich den Briten nur St. Petri am Rathaus und die barocke Michaeliskirche am Großneumarkt nahezu unzerstört.

NOCH DREI KILOMETER BIS ZUR KAPITULATION: ENGLISCHE PANZER VOR DEN BRÜCKEN ÜBER DIE NORDERELBE AM 3. MAI 1945

DIE HAMBURGER NEUSTADT – WO DIE CURRYWURST ERFUNDEN WURDE

Das Viertel um die Kirche St. Michaelis – die von den Hamburgern nur bündig Michel genannt wird – ist das jüngste der fünf Alt-Hamburger Kirchspiele. Es entstand ab 1615, im Dreißigjährigen Krieg, als die Hamburger ihre Stadt binnen eines Jahrzehnts mit gewaltigen Befestigungsanlagen umgaben und bei dieser Gelegenheit kurzerhand die Stadtfläche verdoppelten. Der Großneumarkt war der Mittelpunkt der barocken »Neustadt« – hier stand ein prächtiger Brunnen, hier versammelte sich bei Alarm das Bürgermilitär, und bis vor zwei Jahrzehnten wachten die Beamten des Polizeireviers 14 von hier aus über das Quartier, das im Westen ans Vergnügungsviertel St. Pauli grenzt. Dieses neu gewonnene Areal war ursprünglich locker besiedelt und mit Zier- und Gemüsegärten durchsetzt – der Straßenname »Kohlhöfen« zeugt noch heute von dieser Nutzung. Doch im Lauf von zwei Jahrhunderten hatte sich die Bebauung immer mehr verdichtet, und im 19. Jahrhundert war die Neustadt schließlich so übervölkert, dass sie ins Visier des Senats geriet, zunächst wegen der katastrophalen sanitären Verhältnisse in den Fachwerksträßchen. Einzelne Spekulanten hatten zwar ab 1866 Grundstücke gekauft, Schneisen durch das Gassengewirr geschlagen und zumindest zur Straßenfront hin vergleichsweise moderne, repräsentative Wohnhäuser errichten lassen – so auch in Lena Brückers Brüderstraße, dessen Ensemble heute noch steht. Doch Hamburgs Stadtregierung war das Quartier, keine 500 Meter vom Rathaus entfernt, auch wegen seiner Bewohner ein Dorn im Auge. Denn das ehemals von kleinen Handwerkern und Kaufleuten bewohnte »Gängeviertel« beherbergte nun vor allem die zum Teil stark politisierte Hafenarbeiterschaft und wurde eine Hochburg der Sozialisten und Kommunisten – »Klein-Moskau« eben. Dass die historische Bebauung zwischen 1933 und 1938 unter Zwangsumsiedlung der angestammten Bevölkerung wegsaniert wurde, war also nicht erst eine Idee der Nazis, sondern hatte schon seit der Jahrhundertwende auf der To-do-Liste des Stadtgewaltigen gestanden. Die Bomben des Zweiten Weltkriegs haben das Viertel dann gleich noch einmal gründlich umgepflügt.

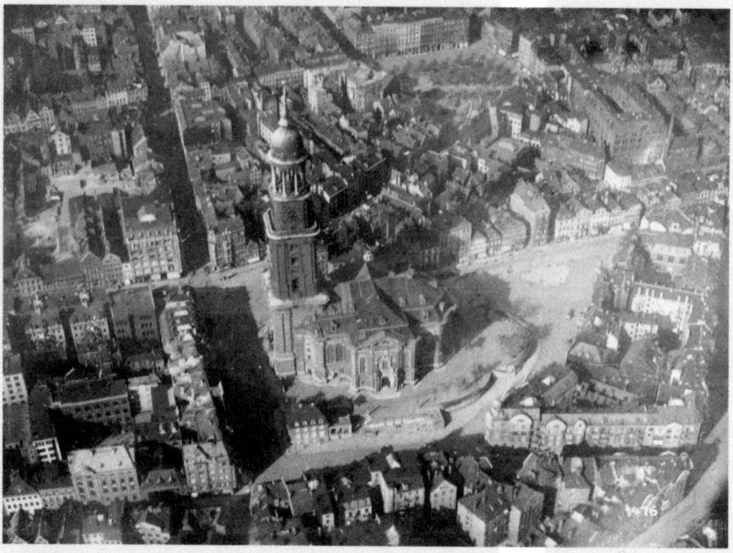

BAROCK UND VIEL FACHWERK: DAS VIERTEL UM DIE MICHAELISKIRCHE VOR DEM KRIEG. RECHTS OBERHALB DER KIRCHE DER BAUMBESTANDENE GROSSNEUMARKT

JUNGES PAAR VOR HAUSGERIPPE. IM HINTERGRUND EINE NISSENHÜTTE – EINE JENER NOTUNTERKÜNFTE AUS WELLBLECH, DIE NACH DEM KRIEG ZU HUNDERTEN IN HAMBURG AUFGESTELLT WURDEN

WEITERLEBEN IN DER TRÜMMERWÜSTE: SCHWARZMARKT, ZIGARETTENWÄHRUNG, KARTOFFELFAHRTEN

In den Ruinen Hamburgs geht für die Einwohner trotz des Waffenstillstands der Kampf ums Überleben weiter – nur fallen nun wenigstens keine Bomben mehr. Eine gute Million Menschen harrt im Frühjahr 1945 in der Stadt aus (bei Kriegsbeginn 1939 hatten in Hamburg 1,7 Millionen Menschen gelebt). Die Hälfte aller Wohnungen ist zerstört, nur ein Fünftel überhaupt unbeschädigt geblieben. Ein Jahr nach Kriegsende teilen sich statistisch gesehen sechs Menschen eine Bleibe, und die Beschlagnahmungen von Unterkünften für die englischen Besatzungstruppen verschärfen die Lage noch.

Der Einzug der Briten bringt auch in Hamburg einen radikalen Bruch im öffentlichen Leben – nicht sofort allerdings, denn zunächst braucht die Militärregierung die noch funktionierende Zivilverwaltung und entfernt nur die NS-Größen und Galionsfiguren der Hansestadt aus ihren Ämtern. Gauleiter Karl Kaufmann zum Beispiel wird am Tag nach der Kapitulation verhaftet. (Er wird übrigens nie vor Gericht gestellt – anders als Staatsekretär Ahrens, der aber »wegen seiner großen Verdienste um die Hamburger Bevölkerung« nur die Hälfte einer sechsjährigen Freiheitsstrafe absitzen muss. Kaufmann stirbt 1969, Ahrens 1974 in Hamburg.)

Schon bald aber läuft die Entnazifizierung an: 132 Fragen umfasst der Fragebogen, den die Briten jedem Deutschen über 18 Jahren, der wegen seiner Funktion auch nur der geringsten Nähe zum NS-Staat verdächtig ist, in die Hand drücken. So sind etwa zum Jahresende 1945 ein Fünftel der gut 50.000 Hamburger Verwaltungsangestellten entlassen, auch Lena Brückers Amtsleiter wird trotz seiner Anbiederungsversuche keinerlei Chancen gehabt haben, seinen Posten zu behalten.

Dringlichstes Problem der Engländer: die Versorgung der Millionenstadt sicherzustellen. Wenigstens sind die Menschen schon seit 1939 an Rationierung gewöhnt, und die Lebensmittelkarten gelten einfach fort. (Das Bezugsscheinsystem wird Ende Februar 1950 abgeschafft, während die Siegermacht Großbritannien die »ration cards« ironischerweise erst am 4. Juli 1954 aufgeben kann – jenem Tag, an dem Deutschland Fußball-Weltmeister wird.) Zwei Scheiben Brot, ein paar Kartoffeln, eine Kelle Suppe: Das steht einem durchschnittlichen Erwachsenen – dem berühmten »Normalverbraucher« – im Sommer 1945 in der britischen Besatzungszone amtlich zu. Diese Ration steht jedoch nur auf dem Papier, und die bürokratische Bewirtschaftung jedes Krümelchens Zucker und jedes Klümpchens Kohle macht niemanden satt und hält keinen Ofen warm. Einen Schwarzmarkt hatte es schon in den letzten Kriegsjahren gegeben – freilich im Verborgenen, denn schon kleinste Vergehen wurden von NS-Schnellgerichten oft genug mit der Todesstrafe geahndet. Doch mit dem Verschwinden der nationalsozialistischen Staatsgewalt blüht das Handeln, Tauschen und »Organisieren« fast unbehelligt von den Besatzern auf. Kein Wunder, denn viele von ihnen beteiligen sich ebenfalls daran – natürlich nicht in aller Öffentlichkeit auf den Schwarzmärkten am Dammtorbahnhof, vor dem Eppendorfer Krankenhaus oder in den Seitenstraßen der Reeperbahn. Hier kosten ein Ei zwei Reichsmark, Damenstrümpfe

HAMBURGER AUF HAMSTERFAHRT: IN ÜBERFÜLLTEN ZÜGEN FAHREN DIE HUNGRIGEN AUFS LAND, UM VON DEN BAUERN EIN PAAR LEBENSMITTEL ZU ERGATTERN

VERBOTEN, ABER LEBENSRETTEND: DER SCHWARZMARKTHANDEL IN DEN ERSTEN NACHKRIEGSJAHREN

bis zu 200, ein Pfund Butter 350 Reichsmark. Verbindungen und Verhandlungsgeschick sind nun alles – wer handeln kann, erhöht seine Überlebenschancen. Neben die Reichsmark tritt als Zweit-, in Wirklichkeit aber viel wichtigere Währung die Zigarette – ein Gottesgeschenk für Nichtraucher, denn Zigaretten sind auf Bezugsschein erhältlich, und die Raucherkarte kann man in Lebensmittel tauschen. (Auch aus den Tabakresten eines Dutzends Kippen lässt sich eine neue Zigarette drehen, aber die erreicht natürlich nicht den Schwarzmarktwert einer »Ami«.) Im ersten Jahr nach Kriegsende ist der Schwarzmarkthandel überlebenswichtig für die Deutschen – das wissen auch die Alliierten. Erst 1946 bekämpfen ihre Behörden Schwarzmarkthändler – ob Deutsche oder Angehörige der Besatzungsmächte – härter.

Die einzige andere Möglichkeit, einen vielleicht wertvollen, aber sinnlosen Besitz in etwas Essbares zu verwandeln: die Hamsterfahrten aufs Land, in Hamburg auch »Kartoffelfahrten« genannt. Es sind meist Frauen, die in die ländlichen Gegenden Schleswig-Holsteins und Niedersachsens ausschwärmen, um den Bauern den Familienschmuck oder ihr aus den Bombennächten gerettetes Silber im Tausch gegen Fleisch, Milch, sogar halb verfaultes Gemüse anzubieten. Doch die Fahrten in den überfüllten und völlig maroden Zügen sind zeit- und kraftraubend und nicht unge-fährlich, und die Hamsterer müssen den Reiseradius um Hamburg immer größer ziehen, um noch einen Bauern zu finden, der nicht schon »Perserteppiche im Kuhstall« hat, wie eine bittere Anekdote erzählt.

CURRY? KENNEN NUR SEELEUTE

An kulinarische Finessen ist unter diesen Umständen natürlich nicht zu denken, doch die Eintönigkeit der Nahrung beflügelt die Fantasie: Jede Abwechslung ist willkommen. Die Weißkohl-Bratwürste, die Lenas Kollegin ihr vorschlägt, sind übrigens keinesfalls eine abwegige Idee: Aus der Nachkriegszeit sind auch Ersatzrouladen mit Haferflocken-Kräuter-Füllung und ein Steckrüben-Dessert aus gesüßten, mit etwas so Kostbarem wie Rum aromatisierten Rübenfasern überliefert. Hätte Lena Brücker tatsächlich eine Kartoffelpuffer-Bude übernommen, wie es ihr der Kantinenchef vorschlägt, wäre es übrigens schon im Herbst 1945 wieder vorbei gewesen mit dem ohnehin mühseligen Geschäft: Im Oktober wird die Zuteilung von Kartoffeln wegen der kriegsbedingt schlechten Ernte auf Steckrüben umgestellt.

An Curry (oder ähnlich Exotisches) ist natürlich erst recht nicht zu denken. Doch den meisten Deutschen ist dieser Glücklichmacher ohnehin unbekannt. Die Briten haben ihn erstmals im 18. Jahrhundert aus ihrer reichsten Kolonie – Indien – nach England eingeführt. Dort würzt man die Speisen mit einer stets frisch komponierten Mischung aus Dutzenden von Gewürzen, »kari« genannt. Die Briten lassen es kochfertig als »curry powder« abpacken und müssen fortan auch in London und Liverpool nicht darauf verzichten. Dass den seekranken Bootsmann Bremer sein erstes Currygericht so gründlich kuriert und Lena Brücker damit auf dem Großneumarkt gebeutelte Nachkriegs-Hamburger aufmuntert, wundert übrigens nicht, wenn man sich einige Curry-Bestandteile vor Augen führt: Ingwer, Koriander, Muskat oder Nelke finden ja in der Heilkunst ebenso ihre Anwendung wie in der Küche.

ÜBERLEBT TROTZ KRIEG UND STADTPLANUNG: DIE HAMBURGER NEUSTADT HEUTE

Nach 1945 war das Viertel um den Großneumarkt vor allem die Spielwiese der Hamburger Stadtplaner, die mit Macht versuchten, das Vernichtungswerk der alliierten Bomberflotten zu vollenden. Schon die NS-Planer der »Führerstadt« Hamburg hatten den Bau einer Hauptverkehrsstraße von St. Pauli in die Hamburger City vorgesehen, doch erst die Zerstörungen des Krieges erlaubten den autogerechten Umbau der Neustadt ohne weitere nennenswerte Verluste an Bausubstanz. So wurde um 1960 der Michel vom Großneumarkt, seinem natürlichen Bezugspunkt seit fast 400 Jahren, durch eine sechsspurige Straße getrennt, die das gesamte Viertel zerschneidet. Und der barocke Kirchturm beherrscht zwar noch immer die Silhouette dieses hafennahen Quartiers, doch längst wirft auch ein Ensemble massiger Bank- und Versicherungsklötze lange Schatten auf den Großneumarkt.

IDYLLE IN DER NEUSTADT: LADENLOKAL AM GROSSNEUMARKT

Dennoch hat die Neustadt in den späten Achtzigern ihre alte Vitalität wiedergewonnen. Bis dahin hatte das Viertel als sanierungsbedürftige Arme-Leute-Gegend abseits der quirligen City um Jungfernstieg und Mönckebergstraße vor sich hingedämmert. Nicht nur die Kriegs-

DER GROSSNEUMARKT HEUTE: VOM MICHEL ÜBERRAGT, VON VERSICHERUNGSKLÖTZEN UMSTELLT

zerstörungen, auch die nachfolgende Abwanderung der Bevölkerung in Außenbezirke und Randgebiete hatte die Neustadt ausgedünnt – eine Entwicklung, die sich in fast allen deutschen Großstädten vollzog. In den vergangenen 35 Jahren aber haben städtische und private Wohnungsbauunternehmen mit teils sehr gelungenen, teils zumindest tolerablen Bauten die Lücken geschlossen und viele Altbauten saniert – und der Neustadt damit eine Renaissance als innenstädtisches Wohnviertel beschert.

Auf dem Großneumarkt steht an der Stelle von Lena Brückers Bude seit Ewigkeiten ein Blumenkiosk. Zweimal wöchentlich ist drum herum Markttag, und natürlich gibt's dann auch Currywurst. Aber die würde vermutlich noch ein bisschen liebevoller zubereitet, wenn die Mamsellen hinter der Theke wüssten, wem sie ihren Verkaufsschlager zu verdanken haben...

FOTONACHWEIS:
STUDIO SCHMIDT-LUCHS: SEITE 53, OBEN LINKS UND UNTEN, SEITE 55, OBEN.
ISABEL KREITZ: SEITE 60.
ALLE ÜBRIGEN FOTOS: DENKMALSCHUTZAMT HAMBURG, BILDARCHIV

FRANK GIESE, GEBOREN 1963, LEBT UND ARBEITET ALS JOURNALIST IN HAMBURG.

ISABEL KREITZ BEI REPRODUKT
Die Entdeckung der Currywurst (nach Uwe Timm)

ISABEL KREITZ BEI CARLSEN COMICS
Die Sache mit Sorge
Haarmann (mit Peer Meter)
Rohrkrepierer (nach Konrad Lorenz)
Den Nachfolgern im Nachtleben (nach Sarah Khan)

ISABEL KREITZ BEIM CECILIE DRESSLER VERLAG
Der 35. Mai
Pünktchen und Anton
Emil und die Detektive
Das doppelte Lottchen (alle nach Erich Kästner)

ISABEL KREITZ BEI DUMONT
Deutschland. Ein Bilderbuch

UWE TIMM, geboren 1940 in Hamburg, studierte Philosophie und Germanistik in München und Paris. 1974 veröffentlichte er seinen ersten Roman, **HEISSER SOMMER**, dem zahlreiche Erzählungen und Romane folgten, darunter **KERBELS FLUCHT** (1980), **DIE ENTDECKUNG DER CURRYWURST** (1993), **ROT** (2001) und die autobiografische Erzählung **AM BEISPIEL MEINES BRUDERS** (2003). 2005 erschien der Band **DER FREUND UND DER FREMDE**, in dem sich Timm an seinen Freund und Mitschüler Benno Ohnesorg erinnert. 2013 sowie 2017 folgten die Romane **VOGELWEIDE** und **IKARIEN**. Für seine Arbeiten wurde Uwe Timm mit zahlreichen Preisen bedacht, so 2001 mit dem Großen Literaturpreis der Bayerischen Akademie der Schönen Künste und 2021 mit dem Lessing-Preis der Freien und Hansestadt Hamburg. 2018 wurde ihm das Verdienstkreuz 1. Klasse verliehen. Für sein Buch **RENNSCHWEIN RUDI RÜSSEL** erhielt er 1990 den Deutschen Jugendliteraturpreis. Mehrere seiner Romane wurden verfilmt, für **DIE BUBI-SCHOLZ-STORY** (1997) verfasste Uwe Timm das Drehbuch.

ISABEL KREITZ, Jahrgang 1967, studierte an der FH für Gestaltung in Hamburg und besuchte im Anschluss die Parsons School of Design in New York. Sie veröffentlichte zahlreiche Comic-Erzählungen, so seit 1994 vier Alben um den Hamburger S-Bahn-Surfer Ralf (zuletzt **GIER**, Zwerchfell Verlag, 2003). **DIE ENTDECKUNG DER CURRYWURST** erschien erstmals 1996; zehn Jahre danach legte Isabel Kreitz mit **DER 35.MAI** (nach Erich Kästner) eine weitere Literaturadaption vor, für die sie 2008 mit dem Max und Moritz-Preis in der Kategorie Bester Comic für Kinder bedacht wurde. 2008, 2010 und 2015 folgten die Comic-Erzählungen **DIE SACHE MIT SORGE**, **HAARMANN** (mit dem Autor Peer Meter) sowie **ROHRKREPIERER** (nach Konrad Lorenz). In der von ihr kuratierten Comic-Reihe **DIE UNHEIMLICHEN** veröffentlichte sie den Band **DEN NACHFOLGERN IM NACHTLEBEN** (nach Sarah Khan). Isabel Kreitz wurde auf dem Internationalen Comic-Festival in Hamburg 1997 als beste deutsche Comic-Zeichnerin ausgezeichnet; 2012 folgte der Max und Moritz-Preis als beste deutschsprachige Künstlerin. 2019 schließlich erhielt sie den Wilhelm-Busch-Preis.

Redaktion der deutschsprachigen Erstausgabe: Andreas C. Knigge und Marcel Le Comte
Redaktion der vorliegenden Ausgabe: Michael Groenewald
Lettering: Dirk Rehm
Herstellung: Anna Weißmann
Mit Dank an Bettina Oguamanam

Gottschedstraße 4 / Aufgang 1
13357 Berlin, Germany

DIE ENTDECKUNG DER CURRYWURST

ISBN 978-3-95640-358-3
Druck: Finidr, Český Těšín, Tschechien

Erste Auflage: Oktober 2022
www.reprodukt.com